*Ainsi*

# Lili
# sa maître~~sse méchante~~

Dominique de Saint Mars

Serge Bloch

ZÉRO

À REFAIRE

ÂNE

MAUVAIS !

© CALLIGRAM

CHRISTIAN ○ GALIMARD

*Avec la collaboration
de Renaud de Saint Mars*

Série dirigée par Dominique de Saint Mars

© Calligram 2001
Tous droits réservés pour tous pays
Imprimé en Italie
ISBN : 978-2-88445-584-8

5

6

Karim, tu ne sais toujours pas faire tes lacets ! Quel bébé !

Mais... !

Et, en plus, Clara et Lili qui font la conversation !

Lili, tu vas à côté de Valentine !

Et avec moi, pas question de copier ! Ça va être vraiment dur pour tes notes !

**7**

8

Si je leur dis ma mauvaise note, et surtout pour triche, les parents ne me laisseront pas aller chez toi ce week-end. C'est dégoûtant !

Dis-leur que c'est la maîtresse qui est méchante, et injuste, et tout !

Ils ne vont pas me croire... J'ai peur d'aller à l'école, j'ai peur de rentrer à la maison...

Les parents, eux, ils n'ont personne qui les torture toute la journée...

Je me demande si maman peut comprendre ça... Il faudrait qu'elle parle à la maîtresse...

T'as pas peur des représailles ? Si ta mère affirme que tu es un petit génie martyrisé... ? !

Tant pis ! Je veux bien prendre le risque !

Elle m'a traitée de CHIEN et, au tableau, d'ESCARGOT...

Oh, elle a parlé un peu vite... elle a voulu être drôle... elle a été maladroite...

Ou elle préfère les animaux...

... et puis de COCHON, en m'arrachant mes feuilles de brouillon ! Elle m'aime pas, je vous dis !

Je pense qu'elle a envie que tu réussisses, c'est une façon de t'aimer... Mais elle a aussi besoin de réussir son métier, sinon elle se décourage, elle s'énerve...

Et c'est dégoûtant, elle m'avait dit que j'aurais peut-être le rôle pour le sketch et elle l'a donné à Clara...

C'était sans doute pour vous faire apprendre le texte à toutes les deux ? Son but, c'est de vous faire travailler... !

En plus, elle nous punit pour un rien !

Si elle a une classe difficile, c'est normal qu'elle soit sévère...

15

16

17

Et ça te fait rire, Valentine ? Moi, tes résultats ne me font pas rire...

À qui le tour maintenant ?

Qui a dit : « À qui le tour » ? J'ai très bien entendu !

Euh, moi, maîtresse...

Bon, tu viendras me voir à la sortie, je te donnerai un exercice de maths pour demain.

C'est bien ça, il n'y a que la baguette pour faire avancer les ânes !

**20**

**22**

J'ai amené Gédéon parce qu'il sait des trucs... à cause de son père... euh, enfin, il va vous le dire...

Salut ! D'abord, vous avez de la chance parce que notre prof, il est bien pire ! D'ailleurs, ma mère en a parlé à la directrice...

Comment ça ?

Il nous met au coin, les mains au-dessus de la tête, et ça fait mal... il m'a scotché la bouche, il tire les cheveux, il se moque de nous... !

C'est peut-être lui qui influence la maîtresse... on les voit tout le temps ensemble à la récré...

* Retrouve l'histoire de la maîtresse de Lili dans *Nina a été adoptée.*

**24**

25

Oh là là, il est tard, mes parents vont me tuer !

D'où sors-tu, Lili ? Tu as vu quelle heure il est ?

Pardon, on parlait de la maîtresse, avec tous ceux de la classe...

Justement, je suis allée voir ta maîtresse, après la sortie. Elle dit qu'elle est épuisée par votre classe, que tu es parmi les plus turbulents, que tu ne travailles pas assez... C'est vrai, il faut qu'on suive mieux tes devoirs...

... Je lui ai dit que tu te sentais mal aimée, que tu ne comprenais pas pourquoi tu étais devenue sa bête noire...

Et alors ?

Elle m'a dit : « Si votre fille a des problèmes, il faut vous en occuper davantage ! »

C'est de notre faute ! Tu parles ! C'est elle qui ne va pas bien, parce que son mari est très malade, je le sais !

Ah bon ? Elle ne m'en a pas parlé...

Parfois, un prof peut se sentir seul face à des parents ou à une classe...

Alors, raison de plus ! Peut-être que vous êtes exaspérants, sans vous en rendre compte. Il paraît que vous n'arrêtez pas de parler, de vous disputer, que vous n'avez jamais vos affaires et que vous ne dites même pas bonjour !

C'est un peu exagéré !

Mon maître de l'année dernière était gentil. Ma maîtresse, quand elle est grognon, elle ne fait plus de blagues, mais elle nous prévient : « J'ai mal dormi, tenez-vous à carreau ! »

Une maîtresse, c'est pas une animatrice de télé, elle a plein de trucs difficiles à vous apprendre et pas de micro et pas de paillettes ! Elle doit faire respecter des règles !

Mais la méchanceté ne fait pas partie de ces règles !

Lili a raison, un prof a aussi des règles à respecter et s'il est méchant gratuitement, il fait mal son métier !
J'irai la revoir et j'en parlerai aux parents d'élèves.

Moi, ma maîtresse m'a souhaité la saint Max. Je l'adore, je vais peut-être me marier avec elle !

Tu ne penses qu'à toi, Max ! Toi, t'es gentil, Pompon !

29

Bon, alors c'est moi qui dois me dévouer, en plus, pour parler à la maîtresse !

C'est vrai que tu as le sens du mot juste... et c'est toi qui a le plus à gagner !

Je veux bien être sacrifiée, mais vous me jurez que vous allez vous tenir absolument tranquilles !

Juré !

Juré !

Promis !

Promis !

Juré !

Juré !

DRIIIIIINNNNGGG !!!

Allez, c'est l'heure du sacrifice...

Est-ce que je peux juste vous dire un mot ?

Plus tard... va à ta place !

Mais qu'est-ce qui se passe aujourd'hui ? J'ai l'impression d'être seule dans la classe. Vous êtes souffrants ?

Allez !

Euh !...

Vas-y !

32

Bonjour Claire !
Il y a un appel important
pour toi. Tu le prends ?

J'arrive... Lili, puisque tu veux te rendre
utile, viens à ma place, je ne veux
pas UNE bêtise !

Ah non, je vous en supplie...
Ne m'obligez pas à être
sévère !

Tu entends comme
elle nous parle !

Ne te prends
pas trop au sérieux
quand même...

33

La maîtresse est une sale tigresse, poil aux fesses !

J'ai tout entendu... Qui vient de crier cette injure grave ?

34

Ah non, pas de ça ! Je suis désolée, on ne touche pas les enfants, dans ma classe !

Mais tu n'as pas entendu ce qui a été crié !

Je te remercie, je reprends ma classe. Je te verrai à la récréation !

Bon, on va reprendre la classe tranquillement. Retourne à ta place, Lili !

Juste un petit mot : les nouvelles sont bonnes, mon mari n'a rien de très grave.

DRRIINGGG ! ! !

Bon, on reprendra après la récréation... euh, je ne savais pas que vous connaissiez mes soucis. Je ne me rendais pas compte que j'étais si dure avec vous.

Et on ne savait pas qu'on était si odieux...

Vous pouvez remercier Lili qui a subi le plus ma mauvaise humeur et qui a eu le courage de m'envoyer un signal ! La mauvaise humeur, ça veut souvent dire quelque chose... Excusez-moi !

Mal travailler aussi, ça veut souvent dire quelque chose... qu'on est malheureux...

Alors, les enfants, on oublie tout et on recommence ?

Même tout ce que vous nous avez appris, maîtresse... ?

# Et toi...

Est-ce qu'il t'est arrivé la même histoire qu'à Lili ?
Réponds aux deux questionnaires...

Que lui reproches-tu ? D'être humiliante, sèche, brutale, injuste ? d'avoir des chouchous ? des mots désagréables ?

Elle ne s'intéresse pas à toi ? Elle te fait peur ? Elle crie ? Elle ne te parle jamais de tes qualités ?

Ça te fait pleurer ou mal au ventre ? Ça t'empêche de travailler ? de dormir ? Te sens-tu seul, nul ?

Lui as-tu parlé ? Écrit ? As-tu essayé de changer
ton attitude ? Es-tu sans gêne ? Manques-tu de respect ?

Penses-tu qu'elle est trop timide pour montrer ses
sentiments ? qu'elle a peur de perdre son autorité ?

Tes parents la défendent ou sont fâchés qu'elle te fasse
souffrir ? Elle voudrait qu'ils s'occupent plus de toi ?

Qu'aimes-tu chez elle ? Dit-elle des choses sur elle ?
Connaît-elle ta vie ? Te sens-tu aimé même si elle est sévère ?

Tes parents se sentent-ils conseillés par elle ? Lui font-ils
confiance ? T'aident-ils à travailler ? Viennent-ils à l'école ?

Penses-tu que c'est plus facile d'apprendre quand on se
sent apprécié et que les moqueries, ça ne sert à rien ?

Fait-elle avec vous un règlement dans la classe
sur vos droits et vos devoirs ? Sait-elle s'excuser ? et toi ?

Es-tu d'accord pour les punitions quand on ne respecte
pas les règles ? Si tu étais professeur, comment serais-tu ?

Que doit apporter un professeur ? le savoir ? l'autorité ?
l'affection ? Doit-il montrer à tes parents tes capacités ?

**Après avoir réfléchi
à ces questions
sur les maîtres et les maîtresses,
tu peux en parler
avec tes parents ou tes amis.**